VOCÊ É FELIZ
E NÃO SABE!

DOMINGOS VIDAL

Você é feliz e não sabe!

Coordenação Editorial: Elisabeth dos Santos Reis
Copidesque: Leila Cristina Dinis Fernandes
Revisão: Ana Lúcia de Castro Leite
Diagramação e capa: Junior dos Santos

Dados Internacionais de Catalogação na Publicação (CIP)
(Câmara Brasileira do Livro, SP, Brasil)

Vidal, Domingos
Você é feliz e não sabe / Domingos Vidal. – Aparecida, SP: Editora Santuário, 2006.

ISBN 85-369-0015-6

1. Conduta de vida 2. Espiritualidade 3. Felicidade 4. Psicologia religiosa I. Título.

05-8934 CDD-248.4

Índices para catálogo sistemático:
1. Felicidade: Vida cristã: Cristianismo 248.4

9ª impressão

Rua Padre Claro Monteiro, 342 — 12570-000 — Aparecida-SP
Tel.: 12 3104-2000 — Televendas: 0800 16 00 04
www.editorasantuario.com.br
vendas@editorasantuario.com.br

A minhas três filhas:
Tâmires, Sávia e Maria Clara.

No mundo da lua:
Na *Minguante* – de muitos anos;
na *Cheia* – de alegria;
na *Crescente* – da paz
a uma *Nova* – esperança!

Prefácio

A sua disposição, para as boas e péssimas horas do dia, as reflexões contidas neste livro. E que seja realçado: Você é feliz e não sabe.

A maneira de pensar ao agir resulta em nós, em nossa personalidade, fé e muita esperança – virtudes imprescindíveis na vida de todo o mundo.

Somos frutos do passado com o presente, e, ainda, o futuro, que chamamos de preocupação do amanhã. O importante é saber que há muitos motivos para sermos mais felizes do que infelizes.

Quero apenas lhe mostrar: "Você é um felizardo, alegre-se!"

O autor

Faça uma pausa na vida

A ansiedade e a depressão caminham juntas, embora sejam diferentes. Há uma ligação entre ambas, denominada falta de objetivo.

A ansiedade acelera as atividades; a depressão diminui, provocando-nos a entrar num recolhimento exagerado.

De tempo em tempo, é rico fazer uma avaliação na vida.

Portanto, mergulhar em si mesmo, sem medo da realidade, e fazer uma faxina, ou melhor, uma avaliação médica, é indispensável.

A inquietação exagerada, provocada pela tensão, pelo nervosismo, pela ansiedade, oriundos da desconfiança, da insegurança emocional, tornou-se no mundo moderno uma doença, um fantasma.

O tratamento para esses males é um só, um remédio de efeito e precisão: Deus, o Criador, o bálsamo para esses inconvenientes, para essas feridas.

Portanto, a reflexão espiritual é de um valor imenso, porque Ele, através de seu Espírito Santo, participa e organiza nossa forma de pensar e agir, de maneira simples e despercebida. É como passar por uma cirurgia espiritual e psicológica.

E quanto à depressão, ela simplesmente desaparece; a ansiedade termina. Porque por onde Ele passa, com seu poder de vida e saúde, a vida se organiza, se ajeita, da forma como tem de acontecer – saudável e rica.

Consequências!?

Dentro de nós há uma guerra de sensibilidades, na qual o inimigo é visto por meio das consequências danosas a nossa saúde. Das poeiras às palavras, principalmente de nossas atitudes.

Frequentar um ambiente inadequado e anti-higiênico facilita a ação do vírus, dos ácaros, o que provoca em nós infecções e dores – isso é horrível e triste, mas é uma realidade. Dos espirros às coceiras dos olhos, as dores, as febres, enfim, tudo o que pode levar-nos à morte.

Assim também são as palavras inadequadas, aquelas palestras incoerentes com nosso estado de espírito, que de forma desapercebida vão aos poucos fabricando um inimigo dentro de nós, e esse inimigo é de uma força que destrói não só o corpo como também o espírito.

As consequências desses casos variam, porém as mais comuns são as tristezas, os abatimentos, a ira, que resultam dos atos impensados que praticamos muitas e muitas vezes, em nosso dia a dia, e sem perceber.

Dizer algo que não nos agrada é como dar um passo para trás, cair num buraco, bater a cabeça. Isso nos faz um mal psicológico muito grande.

O resultado de nossas conversas e de nossos pensamentos ajusta-se a nós, a que chamamos "estado de espírito".

Aos excessos das ações erradas que praticamos, chamamos de retroativo de vida.

Das muitas definições que há sobre depressão, uma delas, e de muita importância, resulta de fatos negativos ocorridos em nosso dia a dia. Soma-se a isso uma tristeza acentuada, que impede nosso ímpeto de vida física e espiritual de sentir prazer, alegria, vontade de viver, provocando em nós um estado silencioso, misterioso com nós mesmos. Nada nos agrada, ou melhor, até o que nos agradava já não agrada mais.

O amanhecer é ignorado, as festas pertubam e todos os nossos apetites sofrem consequências; enfim, o ser humano entra num estado penoso, numa tensão emocional.

Quando criança, somos vacinados contra muitas doenças do físico. No entanto, contra as doenças do espírito, somente uma boa formação religiosa e ética é capaz de nos tornar fortes para vencer as tempestades do dia a dia.

Ter uma vida espiritual saudável, diante de Deus e dos homens, e praticar exercícios para o bem-estar físico, é o mais rico tratamento contra a depressão.

Seja sensato consigo mesmo, seja humilde na maneira de pensar e agir. Eis o remédio para enfrentar essas situações.

Grandeza

O mundo atual exerce uma forte influência em nossa personalidade. Adquirimos diversos traços sem perceber. E um dos mais fortes é essa tal de grandeza, que é, nada mais, nada menos, aquilo que se apresenta com dimensões extensas, acima do comum e do normal.

Cada ser humano deve buscar o ponto mais alto da vida, isso é justo e natural.

Num sentido moral, o termo grandeza é usado para designar um alto nível de qualidades de espírito, que torne o indivíduo superior aos outros, sem que essa superioridade implique em desprezo ou em pouco caso com as outras pessoas.

A verdadeira grandeza da alma reside na modéstia, na compreensão e na humildade.

Uma alma nobre não faz alarde de seu valor, nem precisa de elogios para se manter. O perigo, que muito acontece, é quando isso se torna um orgulho – expressão máxima do amor-próprio e da vaidade pessoal.

Portanto, grandeza é um mero conceito filosófico ou um princípio moral; é uma concepção de vida e do mundo.

É a representação de ideia grande, de força de síntese, de razão, que devemos examinar cuidadosamente.

Precisamos ter novas concepções do que é grandeza. Principalmente agora que a mediocridade encheu a sociedade de irresponsáveis e malfeitores. Essas novas concepções se tornaram uma necessidade atual para a salvação da humanidade. Claro que não se trata de grandeza física ou material. Mas de grandeza moral e espiritual. Nesta época de descrença e ceticismo, de vulgaridade, de desânimo e pessimismo, nunca é demais repetir que necessitamos de lições de grandeza para termos fé e confiança no homem, para fortalecermos e elevarmos nossa vontade, para vitalizarmos e espiritualizarmos nossa essência.

Assim, a grandeza torna-se um tônico. Arranca o homem de sua insignificância e o transforma em gigante. Ela é uma conquista de cada um.

Ninguém nasceu grande, mas se faz grande, o que se consegue através do espírito, do trabalho, do esforço e da dedicação.

É mister sentir, pensar e querer a grandeza; sonhar com ela, imaginá-la e idealizá-la. Nessas condições, pregamos o culto da grandeza, achando que ela se deve a artistas, a filósofos, a cientistas, a homens de pensamento e homens de ação.

Só aprendemos verdadeiras lições de grandeza das maiores cabeças da humanidade, isto é, dos sábios, dos santos, dos heróis, dos artistas, dos técnicos, dos estadistas e de todos os grandes espíritos.

Colocar na mente que o homem é um fim e não um meio e, ainda, que sua grandeza está no espírito, é rico e sábio.

Não tenhamos medo de dizer que grandeza é sagrado. Não é heresia. Nesse culto, veneramos os que foram iluminados e conheceram a graça divina. Nossa veneração por eles, pois, justifica-se. E esse culto é cheio de estímulos e incentivos para a alma crescer e desenvolver-se.

Essa virtude é um caminho de imortalidade, de aproximação ao Criador.

À medida que o homem cresce em inteligência, sentimento e vontade, mais ele sente, compreende e quer Deus, o que o transforma em um valor místico, em um filho mais próximo do pai, em um impulso da alma para o divino e o eterno.

Ser grande exige primeiro ser pequeno.

Conheça um espelho

Só olhamos para o espelho na hora de nos arrumar, de nos pentear – eis o objetivo número um, requisitado por todos nós, quando nos aprontamos para um passeio.

O espelho é imprescindível, porque nos oferece nossa imagem, nosso reflexo, enfim, os detalhes do cabelo, da roupa – nosso jeito no momento. E isso, às vezes, sofre alteração pelo capricho que nossa vaidade exige. E a maneira de olhar, de verificar, está vínculada com o bem-estar do momento. Percebemos o exterior e quase o interior, e isso depende da maneira de olhar cada pessoa.

Fazemos um jogo de cintura, entramos como que numa dança para ajeitar a calça, a blusa, o vestido. Puxamos, repuxamos, esticamos, esprememos e nos contorcemos. Algo em nossa pessoa precisa dar sinal de encanto.

Ninguém suporta ficar diante do espelho com os cabelos atrapalhados, suporta?

Ninguém!

As lendas mostram muitas histórias e contos de fada em que o espelho é o centro de toda a resolução, o palco da decisão, o argumento final de tudo e de todo o desfecho da história. O espelho da fada, do mágico, da bruxa etc.

Aqui, chamo a atenção para o interior, para aquilo que parece não interferir no exterior. Mas é de profunda alteração em todo o nosso ser.

O espelho mostra a casca, mas com os olhos fechados, em silêncio, e sob o clima de reflexão e oração, somos capazes de enxergar nosso íntimo, de nos arrumarmos no mais profundo de nosso ser.

Veja seu interior, reflita sobre seu proceder, seus pensamentos, suas palavras mais comuns: há traços bons ou maus? Seu interior está despenteado, desarrumado?

Os desajustes do interior ficam estampados nos olhos, no rosto e, muitas vezes, nas palavras (pessimismo, antipatia).

Encontramos nas ruas pessoas bem-arrumadas e perfumadas, mas seus semblantes demonstram que pedem socorro, elas estão alteradas, inflamadas, azedas etc. São os que à distância seduzem, mas de perto se reduzem a um amontoado de lixo.

Arrumar o interior é muito mais importante que preocupar-se com o exterior. E isso é um processo que muitas vezes exige atitudes exteriores em primeiro lugar. Uma confissão, o gesto de fazer caridade, que reacende nosso espírito, fazer donativos, enfim, ir até a pessoa do próximo na intenção de refazer amizades etc.

Comece a se pentear por dentro primeiro, para que o semblante bem-arrumado do exterior não seja alterado, desarrumado, pelas desordens do interior.

Sem desigualdades

A felicidade vem como uma ave em pouso; uma pena que, após sofrer ventos e mais ventos, pousa mansamente e tão logo sai aos trancos de outros ventos. Ou melhor, sendo mais conciso: pecado que nos enche de uma dose de antipatia, que resulta de uma canseira de nós mesmos e do próximo. E ainda suscita um asco, um jeito desajeitado de encarar a vida, o que provoca, ao menor gesto ou palavra, um sentimento repulsivo, indelicado, somado com o ambiente, que parece impróprio naquele dia, naquela hora. Tudo contribui a nosso redor para acontecer um "antigente" por muitas e muitas vezes.

E, então, a felicidade surge de forma impulsiva da alma e, juntamente com seu estado de espírito, transforma você e tudo a sua volta de um jeito prazeroso. O ímpeto de contar essa sensação para todo o mundo é como se fosse um desabafo de seu interior, que está cheio, transbordando de algo incontável. Pois, nesse instante, é como se você fosse uma "mina" que jorra tudo o que é bom.

Do pensamento ao gesto, há uma necessidade de fazer, de construir, de mostrar, de dizer, de contar ao mundo a sua volta que a vida tem sentido e muitas maneiras de suportá-la, de amá-la etc.

Enfim, você está vivendo o verdadeiro sentido da vida, aquele sentido que o Pai idealizou: a felicidade de seus filhos.

Ignorância

O fato de não saber as coisas, de ignorá-las, de viver alheio à realidade, desinformado, é uma situação de milhões e milhões de pessoas pelo mundo todo.

Portanto, as consequências desse mal são enormes e de uma influência até em seu respirar.

Entre os fatos mais destacados de nossa maneira de viver, de agir, dentro da sociedade, profissional ou particularmente, em nosso dia-a-dia, há dois tipos de ignorantes: Aqueles que não sabem por falta de informação, e aqueles que sabem, mas não aceitam, são teimosos em seus princípios, em seus argumentos. Estão perdendo, estão sendo derrotados, mas são obstinados, no que se propuseram a fazer.

A ignorância é a falta de abertura para o mundo a sua volta, ou ainda, é impor limites errados a seus argumentos, numa teimosia tão grande, que acaba provocando em si mesmo um asco pela verdade, pelo certo.

Abrir-se a outros espaços é uma iniciativa de dar chances para si mesmo. Conquistar o espírito de curiosidade, de trabalho e de educação, adquirir conhecimentos, aprofundar-se o mais que puder num assunto, mergulhar na palavra de Deus irá ajudá-lo a descobrir seus dons, seus ideais.

Portanto, seja um atrevido e ao mesmo tempo um moderado, isto é, com energia e humildade.

Experimente!

Raízes sólidas

A idade reflete no homem o mesmo efeito que exerce sobre as árvores: com o tempo, as folhas caem, o tronco se avoluma e alguns galhos se quebram, mas a raiz é firme.

O homem, de idade avançada, é dotado de muita experiência. Por isso, ouvir conselhos dos mais velhos é uma riqueza e tanto; é como se adiantar no tempo, conhecer o final da história sem vivê-la, precaver-se sem ver o perigo – acreditar no velho é ser jovem, sábio.

Outro ponto rico é ganhar conscientização, é essa força catalizadora dos recursos e do dinamismo de um homem para sua autopromoção que, sem essa polarização, permanece adormecida ou se exaure nos mesquinhos atritos do egoísmo pessoal ou familiar.

Faça-se uma árvore, produza frutos de trabalho, faça sombras aos que o rodeiam.

Faça-se um sol, lance os braços para abraços, para tudo e todos sem distinção, distribua seu calor, mostre seu brilho no olhar, nos gestos e na ação.

Faça-se uma estrela da terra, porque nos céus já existem muitas, ajunte-se aos povos e faça bastantes amigos. Assim, quando a necessidade acontecer, seu brilho não irá sumir, porque você ganhou bases, raízes e frutificou. Você fez amigos... e acima de tudo... você se tornou um "astro".

Doce razão

Ser feliz tem um preço, um peso ou uma razão?

Não importa o que seja. Quero é a cada segundo de vida sentir meu coração, ver o que me cerca, ouvir o canto dos pássaros, sentir o perfume das flores e ser aquilo que sou. Isso basta para ser feliz.

Respirar fundo e fechar os olhos, porque amanhã será um outro dia e novas sensações e surpresas o Senhor vai nos preparar.

Agora, portanto, permanecem estas três coisas: a fé, a esperança e o amor, mas o amor é o maior (1Cor 13,13).

Hoje, agora, ame o mais que puder.

A vida é amor e amor é vida!

Você é o preço, o peso e a razão desse amor.

Sou especial

Eis a vida que surge da mãe-terra, mãe--semente, mãe-água, mãe-luz – tudo no acasalamento do pai-sol, pai-vento, pai-noite, pai-dia, muitos e muitos dias com a graça do Altíssimo.

Eis a vida acontecendo, crescendo e se realizando sob os ímpetos, os conselhos, a força e muito carinho de todos os seus pais naturais e o Pai Criador (Deus).

Todos conhecem seu tempo, sua hora. Sem exageros de ninguém. Tudo e todos funcionam em seu devido lugar, no tempo certo, denominado: estação.

E o homem?

Fico a imaginar se tivesse lua para se ser homem: estação de machismo, tempo de acasalamento, tempo de guarda; enfim, se fossemos dirigidos pelas estações, o homem, em sua ousadia, ultrapassaria o tempo e o espaço e se ajustaria a sua vontade.

E ainda se fossemos sementes caídas na terra ou, então, frutos de árvores que são seres obstinados a seu tempo de ser, de dar, de formar; tempo de frutificar...

Mas Ele nos diferenciou de tudo quando nos cumulou de seu dom, o dom supremo de todo o existir – o amor! E ainda rico e especial, deu-nos o tempo e o poder de decisão.

Você é dotado desse especial: único, sem repetições, assim, desse jeito, com seus cacoetes, seus traços físicos e psicológicos. Não há outro como você, pode haver alguém semelhante, mas igual nunca irá encontrar.

Quando se olhar no espelho, perceba essa riqueza, sem as demagogias de um orgulhoso: "Poderia ser melhor aqui, ali. A testa, os cabelos, os olhos etc.".

Desperte, você é um felizardo, o único assim! Um especial!

Dê um sentido exato

Percebe-se que tudo no planeta traz um sentido, uma razão de existência, de ser.

Uma árvore, por mais sofrida que seja, no tempo certo desperta sua função: flores e frutos são essenciais, sem contar outros mais derivados, como a rica fotossíntese que acontece constantemente em suas folhas, aliviando nosso ar, tornando-o de uma rica essência – respirável! Por mais que venha a sofrer em certas estações do ano, ela dá seu fruto, a sombra, as flores, que nós chamamos de consequências da natureza.

Já o homem é de uma especialidade rica e maravilhosa no planeta. Seja branco, negro, índio, sua natureza é dotada de um dom precioso na Terra: amar e adorar seu Criador.

Ele, como o único, nos deu a conhecer sua supremacia no universo, seu amor por nós, e tudo nos foi preparado por Ele. Nós humanos, diante de toda a criação, somos como um selo, pois, após ter criado tudo, Ele respirou fundo e disse: "Façamos o homem a nossa imagem e semelhança" (Gn 1,26).

Somos semelhantes a Ele, participamos da riqueza de criar, de inventar, de gerar vidas, de transformar o mundo e, cada vez mais, de um habitar digno.

Assim, você é especial. Ele é conhecedor de sua realidade. Respeita sua decisão, sua maneira de pensar e agir.

Seja como for sua natureza, sua condição física, financeira e mental – você é consciente do mundo que o cerca.

Seja responsável pelo pouco que é seu; se cuidado com amor, esse pouco ganha quantidade e valor e transforma-se numa fortuna!

Dicas para um casamento feliz

Ser feliz a dois, antes de ser uma conquista, um namoro, um noivado, precisa ser preparado e controlado.

Tudo sob medidas e cautela. O fato de assumir diante da sociedade e de Deus a confiança e o respeito, principalmente quando se é de consciência, é uma maravilha, pois nos tornamos um só, como diz a Palavra: "... e serão os dois uma só carne" (Ef 5,31).

O rico dessa união é reconhecido só depois de muitos anos vividos, muitas águas corridas, muitas tempestades e furacões vencidos. Não que seja só isso o casamento; nele há muito prazer, regalias, felicidades, festas e muitos regozijos, quando a "Eva encontra seu Adão".

O homem moderno, em suas filosofias, vem descobrindo regras e táticas de como ser um felizardo na vida a dois.

O fato de "saber brigar" no matrimônio já não funciona; solucionar todos os problemas é uma "tecla" que já não dá o resultado necessário.

Em nossos dias, a mulher já ocupa um papel importante na sociedade e isso altera essas probabilidades.

O divórcio é a melhor solução para um mau casamento? Não, isso nunca.

A lei de Deus é nítida, autêntica: "O que Deus uniu, o homem não separe..." (Mt 19,6; Mc 10,9).

Uma palavra fria e indigesta aos casais ateus que assumem essa filosofia, preocupados somente com seu estado diante da sociedade.

Se algumas dessas maneiras de pensar estão obsoletas, as novas regras para que um casamento floresça baseiam-se mais ou menos no seguinte:

– *Faça uma vida a três:* Marido, mulher e Jesus Cristo. Que o Evangelho seja a cartilha entre o casal. Participem da palavra juntos, na intimidade. Agarrem-se para o abraço da paz, do perdão. Quando surgirem os desacertos, um precisa tomar a iniciativa, e por mais irado que esteja o outro alguma coisa irá acontecer.

– *Amem suas diferenças:* No mundo moderno isso tem acontecido muito. A diferença de um e de outro no prazer, no esporte, na política é muito comum.

Paradoxalmente, é a independência restrita do casal que mantém os cônjuges juntos. Fiquem felizes com as realizações de cada um; a participação de um e de outro em sua simpatia de torcer por um time diferente, de gostar de teatro, de cinema. Isso tudo acabará tornando-se o ponto forte do casal.

– *Cresçam com os problemas:* Não são os grandes problemas, as "tempestades da vida", que derrubam um casamento, são as chateações diárias que desgastam muito uma união.

De início, muitos casais se entristecem quando a paixão e o romantismo dos primeiros dias se dissipam, revelando as diferenças. E são essas coisas pequeninas que desgastam: "Ele não me ajuda nas tarefas domésticas". "Ela é sensível demais." "Ele passa muito tempo diante da TV."

Na verdade, são esses lances pequenos e ignorados por muitos que dão fortalecimento à "musculatura" conjugal, o exercício a dois.

– *Riam:* Casais alegres e realizados enfrentam as diferenças com bom humor. "Eles têm consciência de que Deus ainda não acabou seu trabalho." Essa ideia deixa as decepções suaves, e esses casais acabam rindo de si mesmos.

– *Mantenham os vínculos:* Casais unidos veem o casamento como algo sagrado, digno de sacrifício. "É necessário um esforço, principalmente nesta era do divórcio, pois o fundamental é transformar as dificuldades em força."

Os psicólogos afirmam: "É possível reanimar as chamas dos sentimentos positivos", olhando para o passado e acreditando no presente, o amor reacende. Relembrar os fatos positivos faz brotar aquela chama, aquela semente, que nunca morre dentro do homem e da mulher.

... e serão os dois uma só carne.

A alegria está em nós

Sim, é isso: dentro de você há um terreno a ser cultivado. Sempre é tempo e lua certa.

A Palavra é a semente a sua disposição, ignorando tempo, regras e estações em seus lábios.

A chuva da graça é a misericórdia de Deus, que todo dia, toda noite acontece. Vinte e quatro horas sem cessar.

A espécie que você é, veremos em seus frutos. Porém, lembre-se: Cuide de seu terreno, pois há muitas pragas soltas por aí. Doenças tão fáceis de adquirir.

A oração é a força de combate. Diariamente, não vacile: peça, agradeça, louve etc.

Dentro de você há um paraíso a ser cuidado, um jardim a colorir, um mar de surpresas, uma sensação dos céus passando por seu terreno.

O melhor creme de beleza é uma consciência limpa

Ser elegante, bonito e charmoso é um fato de muita importância.

Você já imaginou o rosto de Jesus Cristo, de Maria e José, a transparência do estado de consciência deles. Que lindo não é! Um olhar deles nos contaria tudo de elegância e o resultado de se ter uma consciência limpa.

Quanto àquela apresentação material, é de suma importância contar o interior de quem veste a melhor roupa e faz o mais fino penteado.

Sim, é isso, que o rosto estampe um riso alegre, os gestos, um ser educado, um bem--arrumado no íntimo.

Há de se dizer que é no rosto que se percebe a autêntica beleza do coração. Não há como fingir ou esconder. Pode-se, por alguns instantes, disfarçar um sorriso, um piscar de olhos, mas isso é perceptível e frágil.

Por vezes, encontramos pessoas num traje simples, mas de uma simpatia que não há como contar: "Que elegância!"

Outras vezes, o perfume é de primeira; a roupa da moda; os sapatos e o cinto do momento, mas o sorriso e os olhos contam diferente: irado, antipático, indigesto e mal-educado.

Evidente que o melhor creme de beleza não arruma o interior, por melhor que esse creme seja; muito menos a roupa. Não adianta "tapar o sol com a peneira".

A beleza é um tratamento que exige educação, sã consciência e coração, não há como fugir dessa regra.

Antes de arrumar o cabelo, arrume a consciência; antes de falar, ouça; antes de se vestir, invista em seu coração, e sua presença será marcante em todo e qualquer lugar. Isso é rico!

Você já usou esse creme – consciência limpa?

Você é um tesouro!

Você é o resultado de muitos anos, de milhares de dias e bilhões de horas. Vai querer se perder por um instante?

Você é de uma carne especial, um coração preparado e um espírito supremo. Vai querer se jogar na vida?

Você é filho de um Pai eterno, dotado e criado sob sua vontade, guiado por seu Espírito. Vai querer se perder na droga?

Você é de um trato especial; o único assim: herdeiro dos céus, andando pela terra. Vai querer ignorar essa doce realidade?

Você é uma máquina invejável, sem parafusos e apertos, baterias e pilhas, de um mecanismo sensacional! Vai perder a cabeça por coisas infantis?

Você é sem cópias e xérox; um ser de qualidade e capaz de fazer quantidades. Amar, amar é sua função. Vai se prender a iras e ódios?

Você é você, assim, desse jeito, com esse rosto, único na face da terra; especial para o Criador. Veja-se no espelho da realidade e deixe a realidade do espelho vê-lo!

Então, sorria! Você é feliz e não sabe!

Somos frutos do que entra e sai pela boca

Somos dotados de uma potencialidade inacreditável, de uma capacidade extraordinária, que é de uma ligação com o passado, uma força no presente e uma certeza no futuro: fé.

Todo ser humano é dotado desse dom. Ignorando a natureza, a cor, a formação, sustentamos dentro de nós, lá no íntimo, esse arranjo muito bem equipado e criado por Deus.

Na fé, que é um ato de inteligência, somado de iniciativa própria de cada um, colocamos nossa vida no desafio fundamental de nossa existência: acreditar num ser supremo e viver o agora, despreocupado com o que passou e otimista quanto ao futuro.

Portanto, precisamos dessa forma de encarar o presente, respeitar o passado e acreditar num amanhã rico.

E crer é uma atitude de vida; uma entrega confiante nas mãos de Deus, tão conhecido e amado, e que nos dá uma segurança deliciosa nos momentos obscuros; alegria completa e esperança satisfeita, o que nos provoca a refletir em nosso amanhã de forma rica e salutar.

Há muitas definições de fé e de suas consequências em relação ao futuro, mas que seja alicerçada no fundamento único da vida que é Ele, supremo e digno – Deus.

Eis uma das maiores diferenças do homem com os outros seres. Eles vivem por viver, para acontecer; enquanto nós, humanos, vivemos para sermos cidadãos do reino dos céus.

Se você não crê, Deus acredita em você!

E quanto à fé, não é uma vitamina, um ácaro, um verme, um vírus, mas um dom, uma capacitação que se adquire conforme o comportamento de vida, que é fruto daquilo que vemos, ouvimos e falamos.

Portanto, o que comemos dá resultado no corpo; enquanto o que falamos e ouvimos dão resultado no espírito, no mais profundo do ser humano, a fé.

O que entra e sai de nossa boca é de influência incisiva e marcante em nossa personalidade.

Com os pensamentos e com os sonhos, é preciso tomar cuidado, pois é pela boca que eles são contados, enfeitados, e têm uma consequência enorme em nosso psicológico.

Cuidado com o ouvir, falar, sonhar e pensar!

Razão máxima

Guerras, massacres, crueldades, explorações, injustiças, crimes, ódio racial... Nossos jornais e telas de TV estão recheados dessas coisas. Não podemos fugir delas.

Podemos enviar gente para a lua, podemos sobrevoar o Atlântico em questão de horas, podemos assistir a eventos do outro lado do mundo, na hora em que estão acontecendo.

No campo da tecnologia, os homens e as mulheres fizeram tremendos progressos. Mas, quando se trata da convivência com a paz, do querer bem e amar, parece que fizemos pouco ou nenhum progresso. Em alguns aspectos, piorou o modo como ferimos uns aos outros e nos destruímos. Às vezes, temos a impressão de que estamos regredindo e não progredindo. E a parte realmente anestesiante do mal, que vemos a nossa volta, é o sentimento de que nós, como indivíduos, podemos fazer pouco ou nada para remediar essa situação. Sentimo-nos impotentes.

Então, fica a questão: Qual será nosso problema?

A doença, todavia, não está somente no mundo a nossa volta, está também dentro de nós. Fazemos também nossa parte para ferir os outros. Somos egoístas e cruéis. Dia após dia deixamos de amar.

A conclusão inevitável é que existe alguma coisa errada com os homens e com as mulheres. De algum jeito, em algum momento, envolvemo-nos com o pecado. Não há necessidade, a esta altura, de retornar aos primórdios da história humana para descobrir com exatidão como entramos nessa situação. O ponto importante é que essa situação é um fato. É óbvia para os olhos de todos.

Caso tivermos alguma dúvida sobre a necessidade de redenção, de um novo começo de nosso mundo, não precisamos procurar além do jornal de hoje. Se tivermos alguma dúvida sobre nossa necessidade pessoal de redenção, não precisamos olhar além de nosso coração.

A realidade é que os homens se afastaram muito de Deus, e as consequências aí estão.

Jesus, como Ele mesmo disse, veio para salvar o que estava perdido. Esta simples frase contém uma profunda verdade, uma verdade que fica bem no coração da mensagem cristã: a verdade de que Deus se dá a nós.

E Ele, Jesus Cristo, veio e assumiu nossa condição humana, incluindo sofrimento e morte, sem mancha, sem pecado. Ele amou completamente, incondicionalmente. Enquanto outros só fizeram a própria vontade, Ele fez a vontade de seu Pai. Mostrou aos homens que ser feliz não é estar isento de sofrimentos; ao contrário, é aceitação, entrega confiante nos braços do Criador. E eis o que aconteceu: ressuscitou, abriu-nos o caminho, a porta para os céus.

E o maravilhoso de tudo é que, ao aproximar-se de seu trono, Ele e o Pai decidiram enviar-nos uma ajuda, uma força: o Espírito Santo, que está presente na face da terra, no coração daqueles que o temem.

Ser feliz é uma busca contínua do reino dos céus, aceitando os inconvenientes do dia a dia, em oração por mim e pelo próximo, esforçando-se para sorrir e cantar, porque o Pai nos ama através do Filho, Jesus Cristo, em companhia de seu Santo Espírito.

Razão maior do que essa não há.

A capacidade do homem

Um homem realizado, feliz em sua vida, é a soma de muitos fatores de seu dia a dia. Vivemos constantemente nessa procura: realizações.

Por vezes, muitos vivem de olho no vizinho, ou melhor, em realizações fora de sua realidade, de sua capacidade.

Portanto, conhecer o limite é fundamental. Ir até aonde as pernas alcançam é sábio, rico.

Será que existe mesmo aquilo a que chamamos de "uma personalidade de sucesso", aquela combinação de características que leva quase inevitavelmente ao êxito?

Muitas características nos são necessárias para o sucesso na vida. Aqui estão sete das principais:

– *Senso comum:* Isto é, a capacidade de fazer julgamentos certos e práticos em relação a assuntos da vida diária. Para conseguir isso, é preciso saber colocar à parte os fatores irrelevantes e ir direto ao âmago do que na realidade tem importância.

O senso comum é algo que você deve desenvolver em sua personalidade, observando o senso dos bem-sucedidos, aprendendo com os erros deles e com os seus também.

– *Conheça seu campo de ação:* Nada conduz mais ao sucesso do que saber o que se está fazendo. Isso minimiza os riscos e constitui uma apólice de seguro em relação a seu próprio êxito.

– *Autoconfiança:* Engloba a capacidade de iniciar ações e de perseverar nos projetos começados. Ou ainda, o poder de tomar iniciativas, com certo atrevimento no agir positivamente, para fazer com que sua vida ande para frente. A boa e velha força de vontade e a capacidade de se colocar objetivos são componentes de autoconfiança.

– *Inteligência geral:* É um fator essencial para se atingir o êxito assinalável, porque envolve a capacidade natural de compreender com rapidez conceitos difíceis e analisá-los com clareza e concisão.

O ser humano engloba outros elementos, por exemplo, além do Q.I.: vocabulário extenso e fluência na leitura e na escrita.

– *Capacidade de conseguir resultados:* É uma fórmula vinculada a outras virtudes anteriores, além de uma capacidade de organização, de bons hábitos de trabalho e zelo. Resumindo o assunto: resultado na vida se consegue com trabalho duro, tenaz, combinado com a capacidade de criar um ritmo próprio.

– *Acredite em seus dons:* Somos, pelo Criador, dotados de uma capacidade em nosso meio de vida. Ele, conhecedor de nossos dias, equipou-nos de virtudes tão iluminadas que sentimos necessidade de expô-las, de mostrar aos outros esse talento.

– *Ter fé:* Acreditar é como estabelecer um vínculo com o sobrenatural. Onde as barreiras se tornam prazer, o impossível é possível. E então você se torna o verdadeiro filho de Deus!

O sétimo mandamento: Não mentir

Negar uma realidade ou uma verdade é uma contradição forte e incisiva que nos afeta por inteiro: corpo, alma e espírito. Algo tão penetrante que gera consequências no mundo a nossa volta, como a de provocar ecos.

Assim, essa atitude, oriunda do pecado, circula de maneira interna e externa no homem. Interna: consciência; externa: próximo.

Portanto, o sair da presença do Pai entristece o Espírito Santo que mora em nós e ao mesmo tempo alegra a satanás.

Quantas desculpas são apresentadas para sustentar as pequenas mentiras do dia a dia: "Foi por uma boa causa", "Eu não tinha outra escolha" etc.

Diante de tantas desculpas, talvez até nos convençamos de que mentir não é algo tão grave assim. Tanto é que há aqueles que "mentem que nem sentem". Esse é o resultado de nos acostumarmos com as mentiras, o que acaba tornando-se um pecado de estimação. Mas se acreditamos que "Jesus é o Caminho, a Verdade e a Vida", o que nos impede de agir conforme aquilo que dizemos acreditar? Mas como a mentira entra em nossa vida? Como aprendemos a mentir?

Algumas questões são úteis para você deixar a mentira definitivamente de lado. Comecemos pela indagação: Em sua família existe o hábito de justificar as coisas com pequenas mentiras?

Esse pecado serve para encobrir os fracassos. E esses falsos recursos acontecem quando erramos, quando optamos pelo "mal", quando justificamos nossas incoerências ou, ainda, quando não conseguimos expressar de forma clara, objetiva e direta o que sentimos, o que pensamos, o que esperamos. Portanto, quantas e quantas vezes fugimos de situações constrangedoras, dizendo estarmos ocupados, cansados ou doentes! Quantas vezes foi necessário recorrer às mentiras para esconder nossas dificuldades e dizer "não".

Ser sincero parece ser difícil; é um ato de maior exposição de si e das evidências.

Mentiras "brancas", "pretas" ou "pesadas", isso não importa. Se você quer buscar a vida, é preciso buscar a verdade.

Essa é a busca que abre as portas para descobrirmos o que há de melhor em nós e que muitas vezes desconhecemos: os dons com que fomos agraciados, para, com eles, podermos vencer as dificuldades, e ao mesmo tempo conquistar, sentir ternura, brandura, paciência etc.

Não podemos mais ser coniventes com a mentira. É como se fosse um estrago dentro de nós mesmos a ganhar fundos, larguras e comprimentos.

O principal problema para o mentiroso é a recusa em reconhecer-se como tal. É identificar as mentiras com que se vive, que conta para si mesmo. Pensar nas causas, mas ao mesmo tempo assumir a responsabilidade por uma conversão, por uma mudança.

Ser uma pessoa realizada no dia a dia é, de fato, falar a verdade, para que a consciência conheça um travesseiro para o sono; um silêncio operante no descanso, um olhar altivo e de cabeça erguida nas ruas; é conversar fitando os olhos das pessoas.

A verdade é uma vitamina para o espírito, um analgésico para a alma, e uma tranquilidade para o corpo.

É bom fazer uma rica observação: Um dia, o homem perceberá que o tempo passa e que ele está embarcado num movimento irreversível que o aproxima irremediavelmente de um fim – a verdade.

Que essa verdade não nos leve ao tédio.

Descubramos essa verdade autêntica, pois descobri-la é atingir a certeza da esperança – Deus.

Sonhar, derruba?

O sonho é um reflexo de seu subconsciente, ecoando assim em imagens fidedignas de situações já vividas. Por vezes, predominam os instantes fortes e marcantes, ocasionando assim lembranças enganosas em nossa mente. Tudo vem de um jeito desguarnecido, desajeitado, que muitas vezes nos assusta, chegando a nos provocar a tomar medidas tolas durante o dia.

O homem sofre uma transformação, tornando-se a vontade de suas vontades; ou ainda, fica à disposição de sua posição, ganhando imagens que o alucinam, que o assustam, chegando até mesmo a fluir ideias pobres de um além, de um mundo imaginário, em que o impossível se torna possível e vice-versa, na mente de um fraco.

Deixar-se levar por sonhos é o mesmo que mergulhar no mundo ficcional, ilusório, imaginário; ou melhor, é como estar numa barca e descer o rio e, logo, você cai na cachoeira da realidade e ganha aquele susto.

Não tomar conhecimento da realidade, prender-se à ilusão dos sonhos são fatos que levam muitas pessoas a tomar decisões importantes na vida.

Você é um felizardo, dormindo ou acordado. Com os pés no chão; cara a cara com a realidade e sem medo das tempestades, dos sonhos e das fantasias que o mundo lhe oferece. O que muitas vezes nos mostra a Palavra é que Deus usou dos sonhos para transmitir mensagens aos profetas. Embora o livro do Eclesiástico, 34,2-3, advirta-nos, em muitas passagens, que o sonho é ilusório.

"É como agarrar uma sombra ou perseguir o vento dar atenção aos sonhos."

"Pois os sonhos transviaram muitas pessoas, e caíram os que neles depositavam sua esperança."

Portanto, é preciso ter discernimento; aliás, tudo na vida precisa de reflexão. Ponderar diante dos fatos e dos sonhos é uma cautela própria dos inteligentes.

Fique atento, porque a felicidade escapa como um vento, um pássaro, uma nuvem. Segurá-la é um princípio de sabedoria e inteligência.

O rico, o gostoso é saber que toda realidade, antes de acontecer, foi pensamento, plano e muito sonho.

Por um outro lado, sonhar é um direito, tão direito, que se faltar, o direito da realidade não vai funcionar.

Portanto, sonhar faz parte da vida.

Mas, cuidado!

Bons sonhos: limitados, "temperados" e muito bem sonhados!

Nada se alcança sem luta

Quando se fala em luta, a primeira ideia que nos acorre é a de agressividade entre duas pessoas, numa disputa acirrada; ou ainda dois exércitos em campo de batalha, frente a frente, prontos para se agredirem.

Luta aqui ganha um significado peculiar, particular – vencer na vida!

Nada se alcança sem luta. Todas as tarefas requerem um esforço de vontade, e, a cada ato que fazemos, algo dentro de nós cresce e se fortalece, dando formato a nossa personalidade, honestidade, e a muitas outras virtudes.

O que nos faz vencer na vida não são os grandes momentos. São as vitórias parciais, os impasses, as esperas e até mesmo as derrotas. Se tivermos sempre o azar de não ter de lutar pelas coisas, seremos meros espectadores, e não atores da vida.

O que conta é a viagem e não a chegada.

Pontos ponderáveis, em se tratando de sucesso na vida, são as pequeninas tarefas. Como são ricas!

Lutar é uma forma de vencer os dias e as horas, longe da ideia de batalhas, mas de vitórias, sucesso.

Portanto, lutar pela felicidade é uma iniciativa de vida ligada à alma. Como um carro: marcha no coração, aceleração na mente e um arranco na vontade. E o rico abastecimento pela gasolina da fé.

Esse carro só freia para dar carona, ou seja, para dar coragem aos que estão a seu lado. Mas cuidado com a velocidade de seus ímpetos, de seus sonhos, de suas aventuras, de suas iniciativas.

Boa viagem, ou melhor, bons esforços!

O ideal é que todos tenham um ideal

Viver por viver, os animais assim o fazem. É o mesmo que ser por ser; é como um caminhar sem rumo, sem aquelas euforias da saída, da chegada. E isso ilude, entristece, empobrece.

Portanto, que o homem corra desse parasitismo, buscando em seu existir um ideal, uma função, um objetivo – realizar-se.

O ideal exprime um significado oriundo dos céus. Até o Criador tem seu ideal. Ele, supremo, dono de toda a felicidade e eternidade, agrada-se desse argumento de existência: salvar o homem e levá-lo ao paraíso, sua verdadeira morada.

Quanto ao homem, percebe-se uma ignorância até mesmo quanto ao significado dessa palavra: ideal. Há diversas definições flácidas e intelegíveis de seu ponto de chegada, de sua meta, de seu objetivo.

O excêntrico desse assunto provocou uma frase popular rica que exprime com clareza e verdade: "Vida sem ideal não é vida".

Dos primeiros anos escolares, paulatinamente, vamos entendendo o que é ideal. Isto é, a facilidade com que certas ciências vão despontando em nosso ego; eis os dons que começam a aflorar. Tudo de forma natural, pois já nascemos dotados dessas virtudes. Com o decorrer dos anos vai acontecendo um amadurecimento, um esclarecimento, quanto a nossas facilidades e desejos. E então é necessário desabafar, ou seja, buscar essas realizações, esses objetivos que passam a se tornar uma necessidade para nos satisfazer e completar nossa personalidade.

Quanto à capacidade de se ter um objetivo, termo de fácil entendimento, mas de difícil prática por muitas pessoas, é fato oriundo de todos esses paradigmas de nossa vida.

Comecemos por nosso dia a dia.

Necessária é a busca de algo autêntico que venha a dar sentido e valor nas próximas horas. Ou, ainda, é como a dedicação de todo o seu ser a uma só vontade, generalizada em pensamentos, palavras, gestos. "Mão na massa."

Cada dia tem de ter um fim, cada hora, cada minuto. Até mesmo quando se dorme há um objetivo, um sentido: descansar.

Importante e rico para sua felicidade é não se prender diariamente a muitos objetivos – isso cansa, atrapalha. Você acaba não cumprindo nada – vegeta.

Homens muito ocupados são ilusões. Fazem as coisas com velocidade e acabam cansando-se e fazendo tudo malfeito.

Um amontoado de objetivos é como um monte de madeiras à espera da faísca de nossa ansiedade para concretizá-los. Causa um fogo em nós e aos que estão a nossa volta. Isso nos envelhece, fator principal que gera a depressão.

Exigir muito de si mesmo esgota as energias do corpo, a alegria da alma, e enfraquece o espírito.

Ter um ideal é como enfrentar os dias em direção única e exclusivamente de uma realização: vencer!

Palavra de fé

O segredo de uma vida rica é ter mais princípios que fins.

Sim, é isso, que a iniciativa ganhe das muitas ideias e dos muitos sonhos. Pôr a mão na massa e fazer aquilo planejado é um ato de coragem e disposição, denominado força de iniciativa, ou melhor, princípio. Eis o ato que nos mostra a energia de enfrentar os males da vida – ser uma pessoa de iniciativa!

Lembre-se: Você não pode ser um valente e vitorioso, se ainda não passou por uma derrota, uma perda. Os problemas são como exercícios psicológicos que nos tornarão mais tarde pessoas fortes, pessoas de um princípio de vida digno e justo.

Por enquanto, o que exige seus momentos de vida é uma confiança em si mesmo e em seu Criador: fé em sua capacidade, respeito para com seus limites e sua força; força de luta contra sua canseira, seu limite, suas barreiras do dia a dia.

Esteja certo de que nossos maiores inimigos somos nós mesmos, muitas e muitas vezes.

Você é dotado de todas as capacidades para ser um felizardo, e já, aqui e agora.

Acredite!

Paz

Paz é uma harmonia entre o interior e o exterior do homem, somada da presença de uma força de vontade, multiplicada por um argumento forte de fé, na intenção de dividir com o próximo esse prazer de existir. Isso facilita a presença de Deus em nós, pelo ímpeto de querer viver sempre mais e de maneira justa e digna.

O que tento mostrar é apenas um pedacinho da grandeza desse assunto delicado, mas de um desejo que o mundo inteiro busca: tranquilidade, bem-estar.

Paz é algo ilimitado, um tesouro ao alcance de todos. Ideal número *um* em nossas vidas; razão pela qual o Cristo nos disse: "Buscai a paz e ide a seu encontro".

Índice

A marca FSC® é a garantia de que a madeira utilizada na fabricação do papel deste livro provém de florestas que foram gerenciadas de maneira ambientalmente correta, socialmente justa e economicamente viável.

Este livro foi composto com as famílias tipográficas Rochester e Minion
e impresso em papel offset 75g/m² pela **Gráfica Santuário**.